100 RESPUESTAS A 100 PREGUNTAS SOBRE SEXO

SILVINA M. CASARES

100 RESPUESTAS A 100 PREGUNTAS SOBRE SEXO

Primera edición: julio de 2000

I.S.B.N.: 987-520-107-3

Se ha hecho el depósito que establece la Ley 11723
Copyright by LA GRULLA
Buenos Aires - República Argentina
IMPRESO EN ARGENTINA - PRINTED IN ARGENTINA

NTRODUCCIÓN

Para comenzar a recorrer las páginas de este libro podríamos empezar desde aquí a hacernos una pregunta fundamental que nos ayudará a hallar las respuestas que deseamos conocer...

¿EXISTE UNA MANERA PREDETERMINADA PARA QUE UNA PAREJA PUEDA VIVIR LA SEXUALIDAD?

La sexualidad no tiene reglas ni parámetros que nos puedan indicar cuál es "la" manera de vivir nuestra sexualidad.

Una persona, hombre o mujer, se encuentra con otra en una situación muy especial y única: ambos están juntos para vivir un momento en el que lo más importante es el placer y la satisfacción que pueden brindarse el uno al otro. Hay tantas maneras de hacer el amor como la cantidad de personas que lo han hecho multiplicado por las veces que lo han hecho, multiplicado por las veces que lo harán, multiplicado por las personas que aún no lo han hecho pero alguna vez lo harán, multiplicado por...

Esta multiplicación indefectiblemente llegará a un número infinito, y ésa es la respuesta: hay infinitas formas de hacer el amor y de gozar de la sexualidad. Hay encuentros sexuales entre seres que se aman, hay otros entre seres que no se aman pero que se atraen, entre seres que una vez se amaron, entre otros que se ven por primera vez y, quizás, nunca más volverán a verse.

No se trata en estas páginas de marcar ninguna directiva, ni menos aún de enseñar certeramente lo que es la sexualidad. El sexo no es para aprender en un libro, es para experimentar a través de todas las posibilidades que se nos abren y que nos llaman al placer, al goce y a la aventura de unir nuestro cuerpo al de ese otro que nos espera y que nos invita a disfrutar juntos. O también en la soledad y la compañía que puede brindarnos nuestro propio cuerpo y que no es más que otra forma de placer y aventura.

De lo que se trata en estas páginas es de que nuestros lectores y nuestras lectoras puedan hallar respuestas, tal como lo anticipa el título, a cien de las miles y miles de preguntas que todos nos hacemos sobre el sexo. Y esas respuestas no fueron elegidas porque sí, no fueron elegidas al azar. En ellas hay un especial cuidado para que todos hallen aquellas que puedan responder a "sus" preguntas.

Entre estas 100 preguntas ustedes hallarán algunas muy particulares, que podrán reconocer fácilmente porque están encabezadas por un símbolo que las identifica: ⚥ . Estas preguntas que llamamos especiales son consultas reales que personas (hombres y mujeres) de distintas edades han realizado a profesionales especializados en el tema. Dichas personas han sido consultadas y dieron la aprobación para que sus preguntas aparecieran en este libro. Desde ya aclaramos que la identidad, tanto de los pacientes como de los profesionales, no será dada a conocer.

¿EN QUÉ ETAPA DE LA VIDA SE DESPIERTA LA SEXUALIDAD?

Normalmente se cree que la sexualidad se despierta en la pubertad, se habla de esta etapa de la vida como aquella correspondiente al despertar sexual, pero en realidad no es así. Por difícil que resulte creerlo, la sexualidad está presente en los seres humanos desde su nacimiento. El cuerpo del bebé es absolutamente capaz de sentir el placer y el displacer, que son los polos que mandan y dictaminan la sexualidad: buscamos lo que nos da placer y, por el contrario, rechazamos lo que nos da displacer. Los niños entre los 2 y los 5 años muestran un interés muy especial en la sexualidad y tocan sus genitales en busca de placer; a esto se llama *masturbación infantil* y, por supuesto, no tiene la misma connotación que la masturbación del adulto o del adolescente. En la adolescencia lo que sucede es que maduran los órganos sexuales y el individuo se vuelve apto para la función reproductiva, sus genitales están maduros para cumplir las funciones en el coito pero esto en absoluto quiere decir que psicológica y afectivamente lo esté. Lo que irrumpe en la pubertad es el interés por la sexualidad "a la manera del adulto", es decir que los púberes comienzan a prepararse para sus futuros encuentros sexuales con su compañero del sexo opuesto.

¿QUÉ ES EL EROTISMO?

El término erotismo deriva de *Eros* (dios del amor) y se refiere a los impulsos amorosos del ser humano. Lo erótico se asocia al placer, al impulso humano por disfrutar de la sexualidad y de todo lo placentero.

Para la psicología el erotismo es comparable a la pulsión de vida, lo que impulsa al individuo a relacionarse con las personas (y también con los objetos) que despiertan su sensualidad y su sexualidad.

¿POR QUÉ SE DICE QUE LA SEXUALIDAD NO ES SÓLO GENITAL?

Se dice que la sexualidad humana no se limita a lo genital y que tiene independencia de la función reproductiva, cosa que no pasa en los animales que copulan como forma de apareamiento y reproducción porque la sexualidad engloba todo lo que produce placer sexual y el placer sexual se obtiene y se disfruta con la totalidad del cuerpo y con la participación activa de las emociones y los afectos. Llamamos actividad genital fundamentalmente al coito, momento en el que la vagina de la mujer es penetrada por el miembro viril del hombre, o sea el pene. Es indudable que lo genital forma parte de la sexualidad pero no la agota. Las caricias, los juegos, los besos y también todo lo que rodea a la relación de una pareja (como la comunicación y la forma de seducirse para lograr que sus encuentros sean más placenteros y satisfactorios) forma parte de la sexualidad.

¿POR QUÉ ES TAN IMPORTANTE EL USO DEL PROFILÁCTICO EN LA PREVENCIÓN DEL SIDA?

A nadie se le escapa que el SIDA es una enfermedad terrible y que una de las formas de contagio es a través del contacto sexual, ya que el virus causante del SIDA, que es el virus HIV, se transmite a través de los fluidos sexuales tanto del hombre como de la mujer. La presencia de este virus en un organismo humano con el tiempo causa esta enfermedad. La única forma que hasta la actualidad se ha encontrado para combatir el SIDA es la prevención, y la prevención en el plano sexual radica en el uso de profilácticos (también llamados condones o preservativos). El profiláctico impide que se realice el intercambio de fluidos sexuales, que son los medios por los que puede transmitirse el virus de un individuo a otro durante la relación sexual. Muchas personas piensan que el uso de profilácticos sólo es necesario cuando la relación sexual se produce entre dos personas que no se conocen o cuando se trata de una relación casual o pasajera. Si bien es cierto que en casos como los mencionados es imprescindible el uso de preservativos, esto no es suficiente. Si de una pareja nueva o de un encuentro ocasional surge una pareja estable, antes de que dejen de cuidarse para evitar el contagio es necesario que ambos realicen los exámenes correspondientes (tantos como los profesionales consideren necesarios) y que esperen el diagnóstico del médico. Es decir que deben esperar hasta que el profesional diga que ya se cumplieron los pasos para afirmar con certeza que ninguno de los componentes de la pareja está infectado con el virus del HIV.

¿QUÉ ES EL ORGASMO?

El orgasmo es el punto más alto de excitación sexual tanto para el hombre como para la mujer, es el punto culminante del coito y tiene manifestaciones tanto físicas como emocionales que difieren en el hombre y en la mujer. Se habla de tres niveles de excitación: la excitación (1er nivel), la meseta de excitación (2do nivel) y el orgasmo (3er y último nivel de excitación). A lo largo de estos tres niveles el grado de excitación va creciendo hasta alcanzar su grado máximo en el orgasmo. A través de estos momentos en los que la excitación va en aumento se produce una acumulación de tensión que se descarga en el orgasmo, de ahí que la sensación que le sigue es de liberación y ausencia de tensión. Esta es la relajación posterior al orgasmo de la que se habla.

¿QUÉ SON LAS GÓNADAS?

Las gónadas son las glándulas que contienen las células responsables de la reproducción. Estas células reciben el nombre de células germinales o también reproductivas. Las gónadas masculinas son los testículos y las gónadas femeninas los ovarios. Los testículos tienen en su interior los espermatozoides (células reproductivas masculinas) y los ovarios, los óvulos (células reproductivas femeninas).

Las gónadas femeninas son internas, es decir que están dentro del cuerpo. No sucede lo mismo con los testículos, que por esta razón están protegidos dentro de dos bolsas, denominadas escrotos.

 ## ¿QUÉ ES EL HIMEN?

El himen es una membrana (suele llamársela "tela") que se ubica en la vagina (a la entrada de ésta). Separa la vulva de la vagina y su presencia es una de las causas del dolor que suele haber durante las primeras relaciones sexuales con penetración. Su conformación es la de una membrana elástica con un orificio en el centro, por esta razón puede ser que se conserve sin romperse en casos en los que ya ha habido penetración. Con las sucesivas relaciones sexuales en las que existe penetración se va rasgando hasta que no queda rastro de ella. No obstante hay casos en los que el himen nunca ha existido o que se ha desgarrado sin haber existido penetración del pene o de ningún otro sustituto (como por ejemplo, el dedo). El himen debe su nombre al dios Himeneo, que en la mitología grecorromana representaba el matrimonio.

Su conservación suele asociarse al honor, ya que es la prueba fehaciente de que esa mujer no ha sido penetrada. El término desfloración, que es una de las formas de nombrar la pérdida de la virginidad, simboliza "perder la flor".

¿QUÉ ES LA EYACULACIÓN?

Eyacular significa lanzar con fuerza y rapidez una sustancia contenida en un órgano o depósito. Cuando un hombre eyacula lo que hace es lanzar al exterior el semen o esperma. En el acto sexual con penetración el semen es introducido en la vagina de la mujer.

¿QUÉ ES EL PUNTO G DEL QUE TANTO SE HABLA?

El punto G es una de las zonas de excitación de la mujer, es decir que es uno de los centros de goce y placer sexual. Este punto llamado "G" se halla en la vagina (a 5 cm de su entrada) en la parte frontal, y hace falta probar varias veces hasta localizarlo.

¿POR QUÉ LA VAGINA SE LUBRICA CUANDO LA MUJER SE EXCITA?

La vagina se lubrica porque existen glándulas que segregan una sustancia mucosa que prepara la vagina para facilitar la introducción del pene. Estas glándulas se llaman glándulas lubricantes y están ubicadas en la unión del útero y la vagina y en la entrada de esta última.

¿HAY MÁS DE UN TIPO DE ORGASMO EN LA MUJER?

Se suele hablar de orgasmo vaginal y orgasmo clitoridiano: el primero se refiere al que la mujer alcanza durante la penetración en su vagina y el segundo al que se produce como consecuencia de la estimulación directa del clítoris.

Con respecto a este tema existen teorías contrapuestas: hay especialistas que sostienen que el verdadero orgasmo es el vaginal y que el placer alcanzado por medio de la estimulación del clítoris es una instancia preparatoria de este orgasmo vaginal. Otros profesionales no aceptan esta postura, ya que sostienen que el clitoridiano es un orgasmo en sí, tan válido como el vaginal, aunque las sensaciones producidas por uno y otro difieren entre sí. Independientemente de una u otra postura, es importante aclarar que para la mayoría de las mujeres es sumamente difícil alcanzar el orgasmo por la vía vaginal, siendo absolutamente normal que accedan al orgasmo por medio de la estimulación del clítoris, hecha tanto con los dedos como con la lengua o el pene.

¿CUÁLES SON LAS ENFERMEDADES DE TRANSMISIÓN SEXUAL MÁS COMUNES?

Entre las enfermedades de transmisión sexual más comunes se pueden nombrar: el SIDA, la gonorrea (blenorragia), la sífilis, el herpes genital, los condilomas o verrugas genitales, y la micosis (hongos). Cada una de ellas presenta una sintomatología y una evolución diferente que los médicos especialistas conocen a la perfección, por lo que son los únicos indicados y capacitados para diagnosticar e indicar el tratamiento adecuado a seguir. A excepción del SIDA, todas las enfermedades aquí nombradas tienen curación, por lo tanto es necesario concurrir al médico cuando se sospecha que puede haber alguna enfermedad de este tipo. En todos los casos debe evitarse la automedicación, aun sabiendo que algún conocido padeció los mismos síntomas (o lo que nosotros pensamos que son los mismos síntomas) y le recetaron tal cosa.

 ## ¿QUÉ GRADO DE EFICACIA TIENE EL PROFILÁCTICO FEMENINO?

El profiláctico femenino se diseñó fundamentalmente para evitar el contagio del SIDA y no como método anticonceptivo. Como muchos hombres se negaban a usar preservativo y esto traía aparejada gran cantidad de desavenencias, se intentó la manera de que la mujer pudiera ser ella misma quien se cuidara. Pudo haber sido un gran triunfo para las mujeres, ya que no se hacía necesario depender de los hombres para tener lo que se llama "sexo seguro"(evitar el contagio del SIDA por transmisión sexual). Pero desgraciadamente no tiene la misma eficacia que el preservativo tradicional, el que usa el varón para recubrir su pene y evitar que el semen y los fluidos sexuales se intercambien. No llegó a ser aprobado en todos los países y actualmente está prácticamente en desuso. Por otro lado, el profiláctico femenino era mucho más caro que los condones tradicionales o masculinos.

¿CUÁL ES LA FORMA MÁS EFECTIVA DE PREVENIR LAS ENFERMEDADES DE TRANSMISIÓN SEXUAL?

La forma más efectiva de prevenir este tipo de enfermedades es el uso del profiláctico.

El profiláctico fue uno de los primeros métodos anticonceptivos de barrera (llamados de esta manera porque actúan como una barrera que impide que el espermatozoide llegue a fecundar al óvulo) pero cayó en desuso debido a que se hallaron otros métodos más efectivos y modernos. De todas formas siempre se conservó como forma de prevenir enfermedades como la sífilis o la blenorragia, y los hombres solían utilizarlo cuando tenían relaciones con prostitutas. A partir del avance del SIDA se volvió a considerar su utilización en toda relación sexual que no ofrece garantía (es decir cuando no se sabe fehacientemente que el compañero sexual no está infectado con el virus HIV) y se busca fabricarlos cada vez con mayor calidad y efectividad. Para evitar el contagio de las enfermedades de transmisión sexual el profiláctico debe ser utilizado en toda relación sexual en la que haya contacto sexual, aun en las que no se produce la penetración. Por difícil de creer que resulta, se han dado casos en los que mujeres vírgenes han sido contagiadas de sífilis o de gonorrea.

¿CUÁNTO DURA UN ORGASMO?

El orgasmo en sí dura unos pocos segundos, tanto en los hombres como en las mujeres, y es seguido por momentos en los que la persona parece no necesitar otra cosa más que quedarse paladeando su bienestar y la felicidad. La duración de esta sensación de plenitud y de absoluto bienestar que generalmente le sigue al orgasmo varía según las personas y puede decirse, con las debidas diferencias que existen para cada caso particular, que la mujer suele salir antes de esta sensación. Esta es una de las razones, y que suele traer desavenencias en la pareja, por la que generalmente las mujeres deseen hablar o recibir caricias cuando su compañero todavía "está en el limbo".

MI COMPAÑERO/A ME PIDE QUE LE CUENTE MIS FANTASÍAS SEXUALES. HAY ALGUNAS QUE SÓLO DESEO GUARDARME PARA MÍ. ¿QUÉ DEBO HACER?

Esta afirmación encierra una gran verdad de la humanidad: hay cosas que no se desea compartir ni siquiera con la persona a quien se ama y a quien se eligió para compartir la vida, y entre esas cosas pueden estar "algunas" fantasías sexuales. Esto es absolutamente normal y respetable, nadie debe acceder a nada que no desea hacer cuando de la sexualidad se trata.

El entendimiento sexual y afectivo de una pareja es algo que lleva tiempo y entrega de ambas partes; a medida que se profundiza la relación aparecen los deseos de compartir cada vez más los secretos y la intimidad. No obstante es absolutamente normal que algunas fantasías sexuales se quieran reservar para uno mismo, ya sea por vergüenza o, simplemente, por el placer de no revelarlas.

¿EN QUÉ CONSISTE LA EYACULACIÓN PRECOZ?

La eyaculación precoz (*eyaculatio praecox*) consiste en la emisión del semen en forma casi inmediata a la introducción del pene en la vagina, en ocasiones antes de la misma, seguido de la desaparición de la erección. Es decir, que a los pocos minutos o segundos de que el pene entra en la vagina, o en el momento en que esto se está produciendo, o bien momentos antes de que suceda, se produce la eyaculación y el pene deja de estar erecto; por lo tanto la relación sexual no puede continuar (al menos hasta que se vuelva a producir la erección).

Es una de las problemáticas sexuales masculinas más comunes y suele traer serias complicaciones en la vida amorosa tanto del varón como de la pareja en sí. Para el hombre es una fuente de tensión, ansiedad y culpa, ya que alcanza el orgasmo pero generalmente no puede disfrutar emocionalmente de la relación porque siente que no cumplió con su papel: el de hacer que la mujer disfrute.

Esta disfunción está dentro de lo que actualmente se denominan disfunciones eréctiles y generalmente se debe a factores emocionales: la consulta al profesional especializado hace que éste sea un problema solucionable. No debe confundirse la eyaculación precoz con la impotencia.

¿ES LO MISMO PUNTO G QUE PUNTO GRÄFENBERG?

Son dos formas de nombrar esta zona de la mujer. Justamente se lo llamó punto G porque ésta es la inicial del apellido del médico que lo descubrió, el Dr. Gräfenberg.

¿PUEDE CONSIDERARSE INCOMPLETO UN ENCUENTRO SEXUAL EN EL QUE NO HAY PENETRACIÓN?

Un encuentro sexual nunca puede decirse que sea incompleto, pues los únicos que pueden determinar que los satisface son los implicados: la pareja que se unió para ese encuentro. El sexo nunca debe ser vivido como una obligación de hacer esto o lo otro. Que no haya penetración en un encuentro sexual no sólo no implica que el encuentro fue incompleto, sino que puede ser una maravillosa opción para probar distintas formas de exploración de la sexualidad. El cuerpo de un hombre y el de una mujer tienen lugares inimaginables que pueden brindar placer y satisfacción.

¿POR QUÉ NO SIEMPRE SE RASGA EL HIMEN LUEGO DE LA PRIMERA PENETRACIÓN?

La razón por la que la membrana o película que separa la vulva de la vagina no siempre se rompe o desgarra en la primera relación sexual con penetración puede deberse a varios factores. Entre ellos está el hecho de que el himen nunca haya existido (hay mujeres que nunca lo han tenido); estos casos son poco frecuentes y no indican ninguna anormalidad anatómica. En otras ocasiones el himen es muy elástico y por esta razón no llega a romperse en una sola penetración del pene en la vagina. El himen tiene un orificio central y en ocasiones éste es más grande que lo habitual, y ésta puede ser otra causa para que no haya desgarro en las primeras penetraciones. También puede suceder que la penetración no haya sido tan profunda o que no se haya ejercido la suficiente presión para que la membrana se rompa. A modo de ilustración podemos decir que hay hímenes que por su constitución se denominan infranqueables: en estos casos no pueden ser desgarrados con la penetración del pene y muchas veces necesitan de acciones quirúrgicas para hacerlos desaparecer y permitir que esa mujer pueda llevar una vida sexual normal.

¿POR QUÉ LAS MUJERES PUEDEN MANIFESTAR QUE NO DESEAN TENER RELACIONES SEXUALES CON MÁS LIBERTAD Y MENOS VERGÜENZA QUE LOS VARONES?

A pesar del paso del tiempo y de los intentos de que los hombres y las mujeres comprendan que el sexo siempre es una situación de dos y que no se trata de que haya un varón-macho que sea el que siempre esté dispuesto a satisfacer a su pareja y que nunca pueda fallar o "no querer", los condicionamientos sociales y culturales están muy arraigados en todos nosotros. Los hombres prefieren poner en el afuera las causas y no en su deseo (absolutamente válido y humano) de no tener relaciones o acercamiento físico, y recurren a frases como "estoy demasiado cansado", "es porque estoy pensando en otra cosa y para hacerlo hay que hacerlo bien". El correlato de todas estas frases es: "No es que yo no tenga ganas, lo que pasa es que..."

En esto juega un papel importante el no ofender a la mujer, ya que ésta suele ser muy sensible a este tipo de negativa de los hombres y hasta puede llegar a asociarlas con una infidelidad. La raíz de este comportamiento en las mujeres seguramente es la misma idea de que el varón siempre está dispuesto al contacto sexual.

¿ES PERJUDICIAL EL SEXO ANAL?

Desde el punto de vista físico, puede afirmarse que el sexo anal no resulta perjudicial cuando no hay problemas de tipo médico, como fístulas anales, hemorroides, inflamaciones intestinales, etc. En caso de haber alguno de estos trastornos es indudable que el sexo anal puede traer consecuencias poco felices y que en general debe evitarse hasta que el médico indique lo contrario. Esto que hemos dicho vale para los casos en los que ambos desean realizar el sexo anal, ya que no son pocos los casos en los que uno de los dos (por lo general el varón) desea hacerlo y el otro no. Casos como éste sólo se resuelven en el diálogo íntimo de la pareja y son sus integrantes los que deben tomar la decisión.

¿ES LO MISMO LA EYACULACIÓN QUE EL ORGASMO MASCULINO?

Sí. Cuando un hombre alcanza el orgasmo aparece la eyaculación; si no eyacula no hay posibilidad de que haya orgasmo en el varón.

¿A QUÉ SE LLAMA AFRODISÍACOS Y QUÉ EFECTOS PRODUCEN?

Se llama afrodisíaco a todo lo que tiene la propiedad de aumentar la excitación sexual. Hay sustancias a las que se les atribuye esta propiedad de exacerbar el deseo sexual (comidas, condimentos, perfumes, etc).

¿HAY ALGUNA RAZÓN POR LA CUAL NO SE DEBA TENER RELACIONES SEXUALES DURANTE LOS DÍAS QUE HAY FLUJO MENSTRUAL?

Durante los días en los que una mujer tiene flujo menstrual (menstruación) no hay razón por la que no se puedan tener relaciones sexuales. No hay causa física ni higiénica que impida que un hombre o una mujer puedan tener relaciones plenas y satisfactorias cuando la mujer está menstruando.

¿QUÉ ES LA MASTURBACIÓN?

La palabra masturbación proviene del latín y significa, desde este punto de vista, seducción por la mano (*Manu*: mano, *Stupratio*: seducción). Si lo pensamos desde un punto de vista más llano y simple, la masturbación es toda práctica en la que se juega con los órganos genitales para obtener placer. En el caso de los adultos, puede formar parte de un juego erótico para lograr mayor excitación (muchas veces las parejas recurren a la masturbación como parte de sus encuentros sexuales) o ser una práctica solitaria que brinda placer y permite alcanzar el placer del orgasmo. Es importante destacar que la masturbación es un aspecto normal y placentero de la sexualidad, no es en absoluto una actividad sexual ligada a lo pecaminoso ni a ninguna deformación sexual.

¿ES NORMAL QUE ALGUNAS PERSONAS NO DESEEN TENER SEXO ANAL?

Si una persona no desea, por la razón que fuera, tener sexo anal no hay razón para que acceda a realizarlo por el simple hecho de satisfacer a su pareja sexual. Entre los temores o razones que impiden a una persona realizar sexo anal los más comunes son el temor (en ocasiones pánico) a sufrir dolor o a tener complicaciones en el conducto anal. En general es mayor el número de mujeres que no desean tener penetración anal que el número de hombres que se niegan a penetrar a sus parejas. De todas maneras puede suceder que sea el varón el que por alguna causa, entre ellas el temor a lastimar a la mujer, se resista a esta práctica. Sea uno o sea el otro el que no desee practicar el sexo anal, si accede sólo para complacer a su pareja es muy posible que no lo disfrute y hasta que lo padezca, sobre todo en el caso de la mujer (ya que sin una buena lubricación y una relajación del esfínter adecuada puede ser muy doloroso y en ocasiones producir lesiones en el recto).

¿QUÉ RELACIÓN HAY ENTRE EL TAMAÑO DEL PENE Y EL PLACER QUE RECIBE LA MUJER EN LA RELACIÓN SEXUAL?

La relación del tamaño del pene con la satisfacción de la mujer es un tema que está siempre presente y que suele tener dos respuestas categóricas y encontradas. Por un lado es lícito afirmar que una mujer hallará placer con aquel hombre que logre despertar sus deseos y satisfacerlos, independientemente del tamaño del pene de éste. Por otro lado, es lícito afirmar que es posible que el tamaño del pene intervenga en la satisfacción sexual de una mujer. La conformación anatómica de la mujer hace que en la vagina (muy cerca de su entrada) se encuentre una zona (el llamado punto G), responsable en gran medida del orgasmo vaginal femenino. Por lo tanto cuando los sexólogos hablan de la importancia del tamaño del pene, dan mayor predominancia al grosor que al largo.

¿ES POSIBLE QUE UNA MUJER ALCANCE EL ORGASMO SÓLO CON LA PENETRACIÓN ANAL?

Es posible que una mujer alcance un orgasmo vaginal con la sola penetración anal, ya que la posición adoptada puede permitir que la fricción estimule la zona vaginal. No obstante, son muchos los casos en los que sólo se puede alcanzar la satisfacción plena cuando la penetración anal se acompaña con la frotación del clítoris o con la estimulación directa de la zona vaginal.

ALGUNAS MUJERES AFIRMAN QUE SIENTEN MÁS PLACER DURANTE LOS DÍAS EN LOS QUE ESTÁN MENSTRUANDO. ¿A QUÉ SE DEBE ESTO?

Esta afirmación puede tener causas diferentes para cada caso. En algunas mujeres puede deberse a que se sienten más vulnerables y esto haga que reciban con más beneplácito el amor y la atención de un hombre, que se muestren más receptivas y tiernas. También puede suceder que el hecho de estar menstruando haga que las probabilidades de quedar embarazadas sean menores y esto hace que se relajen más, si es que no desean embarazarse y no utilizan ningún método anticonceptivo. Otra razón puede ser la siguiente: en mujeres con poca lubricación natural el flujo menstrual actúa como lubricante vaginal y ayuda a evitar ocasionales dolores presentes durante la penetración del pene.

En general, para los hombres es también muy satisfactorio penetrar a la mujer cuando está menstruando, posiblemente por los mismos motivos enunciados para la mujer. Algunos hombres también disfrutan de realizarle sexo oral a la mujer durante estos días. Por otra parte, el flujo menstrual que hay en el conducto vaginal puede dar una sensación parecida al coito que se realiza en una bañera con agua tibia.

¿TIENE EL ALCOHOL EFECTOS AFRODISÍACOS?

El alcohol en cierto grado y medida produce una baja de la conciencia y por lo tanto una disminución de las represiones; por lo tanto puede considerarse afrodisíaco en tanto permite liberarse y aflojar las inhibiciones. Se sabe fehacientemente que este efecto se da por un corto plazo y que puede traer más complicaciones que beneficios tanto en el hombre como en la mujer.

El alcohol juega un papel muy importante en los momentos previos al encuentro sexual, en muchos casos no se concibe una cena romántica sin unas copas de vino, o una charla previa al momento de desvestirse y comenzar las caricias sin alcohol. Es importante aclarar que el problema puede presentarse cuando la ingestión de alcohol se vuelve condición necesaria para el encuentro. Una gran parte de las parejas que han recurrido a tomar unas copas para aflojar las tensiones en las primeras citas, una vez que tienen más confianza, ya prescinden totalmente de esto.

UNA VEZ ME SUCEDIÓ QUE,
EN MI PRIMER ENCUENTRO
SEXUAL CON UN HOMBRE,
CUANDO SE DESNUDÓ
SU PENE ME PARECIÓ
EXCESIVAMENTE GRANDE
Y ESTO ME IMPIDIÓ
DEJARME PENETRAR.
¿POR QUÉ ME HABRÁ
SUCEDIDO ESTO?

Cuando se trata de la sexualidad es muy difícil atribuir una causa certera a cualquier situación que produzca un rechazo o una falta de deseo. En un caso como éste, en el que una mujer siente que no desea tener relaciones sexuales con un hombre que tiene un pene que ella considera demasiado grande, pueden existir infinidad de causas, entre ellas que tenga temor a ser lastimada. También puede ser que la causa sea más de orden inconsciente que racional. Es muy importante tener en cuenta, para pensar en cualquier situación en la que no hay deseos de ser penetrada, que las mujeres generalmente tienen la necesidad de sentirse cuidadas en la relación sexual. La penetración es una forma muy particular de entrega a otro y tal vez una situación como ésta no se deba en realidad al tamaño del pene sino a que no estaban dadas las condiciones afectivas y emocionales para que hubiera deseo de ser penetradas.

Posiblemente en ese encuentro amoroso faltaron elementos previos que hagan que esa pareja llegara a esta situación con mayor confianza y ésta sea la causa que hizo que la mujer retrocediera. De todas formas, cada experiencia en el terreno amoroso es única y nunca se sabe exactamente qué es lo que puede llegar a pasar.

Muchos hombres creen que el tamaño del pene es uno de los factores que más tienen en cuenta las mujeres para su disfrute sexual, y éste es otro de los tantos prejuicios que abundan en el terreno de la sexualidad humana. En la página 29 de este libro se habla particularmente de la relación entre el tamaño del pene y la satisfacción sexual de la mujer.

¿ES CORRECTO AFIRMAR QUE HAY MÁS PROBABILIDADES DE TRASPASO DEL VIRUS HIV EN UN COITO ANAL QUE EN UN COITO VAGINAL?

Esta afirmación es absolutamente cierta debido a que el recto está más vascularizado que la vagina, es decir que hay mayor cantidad de vasos sanguíneos en el recto que en la vagina. Esto quiere decir que hay mayor probabilidad de que alguno de los vasos se rasgue y se produzca el contacto de sangre con fluido seminal. Por esta razón deben extremarse los cuidados cuando de prevención de contagio del SIDA se trata.

¿ES POSIBLE CONTINUAR CON UNA VIDA SEXUAL NORMAL DURANTE EL EMBARAZO?

En un embarazo normal y sin complicaciones es posible llevar una vida sexual normal y satisfactoria, tal como se acostumbra cuando la mujer no está embarazada. Es fundamental que esto lo determine el profesional que controla el embarazo, no sólo para que indique si hay alguna complicación que pueda necesitar que se suspenda la penetración (por ejemplo) sino también para que aclare todas las dudas y contenga todas las ansiedades que en esta etapa tan importante para la mujer y la pareja suelen ser muchas. Es importante decir que la totalidad de los profesionales de la salud no sólo aseguran que es posible llevar una vida sexual normal durante el embarazo, sino que lo recomiendan.

¿QUÉ ES EL GLANDE Y QUÉ PAPEL JUEGA EN LA SEXUALIDAD DEL VARÓN?

El glande está ubicado en el extremo del pene (la parte ensanchada) y está cubierto por una membrana llamada prepucio. En esta parte del miembro viril hay una gran cantidad de terminaciones nerviosas, lo que lo convierte en una zona altamente sensitiva y capaz de producir placer cuando es acariciada. El prepucio tiene capacidad de retraerse, que es lo que sucede cuando el pene está erecto, y es la zona que se corta cuando se realiza una circuncisión por razones religiosas o por indicación médica.

¿HASTA QUÉ ETAPA DEL EMBARAZO ES POSIBLE TENER RELACIONES SEXUALES CON PENETRACIÓN SIN AFECTAR AL BEBÉ?

Depende de cada caso, pero en general hasta muy avanzado el embarazo las mujeres pueden tener relaciones sexuales con penetración sin que traiga ninguna dificultad al bebé.

¿CUÁL ES LA EDAD IDEAL PARA QUE UNA PERSONA (HOMBRE O MUJER) COMIENCE A TENER RELACIONES SEXUALES?

No existe una edad que pueda reconocerse como la ideal para la iniciación sexual. Tampoco es cierto que es necesario que los varones se inicien antes que las mujeres, aunque en la mayoría de las sociedades eso es lo esperado tanto por los hombres como por las mujeres. Lo que sí es lícito afirmar es que la iniciación sexual a una edad muy temprana no es beneficiosa para ninguno de los dos sexos. No sólo porque no se está lo suficientemente preparado para disfrutar todo lo maravilloso que el sexo puede dar a la existencia humana, sino también porque la iniciación sexual conlleva una serie de responsabilidades respecto del cuidado, ya sea para controlar la natalidad como para evitar el contagio de enfermedades de transmisión sexual como el SIDA.

Una de las grandes paradojas de la especie humana es que se está capacitado físicamente para la sexualidad muchos años antes de estarlo psicológica y afectivamente, de la misma forma que se está capacitado mucho antes para el disfrute sexual que para asumir la maternidad o la paternidad.

¿A QUÉ PARTES DEL CUERPO SE LAS DENOMINA ZONAS ERÓGENAS?

Las zonas erógenas son las zonas del cuerpo que por estar muy inervadas (que tienen nervios sensitivos) producen placer al ser estimuladas. No sólo los genitales son zonas erógenas, también lo son el ano y la boca, entre otras.

Cualquier parte del cuerpo puede ser una zona erógena, ya que todo el cuerpo es una zona capaz de brindar placer; en este caso cada persona da una significación especial a cada parte de su cuerpo.

¿CÓMO DEBEN RESPONDERSE LAS PREGUNTAS SOBRE SEXO QUE HACEN LOS NIÑOS?

Cuando algún niño o niña hace una pregunta relacionada con la sexualidad es necesario contestarle con la verdad y utilizando palabras sencillas que ellos puedan conocer y con argumentos que los tranquilicen en lugar de confundirlos más. Es muy importante no atosigarlos con información ni con palabras técnicas que no cumplan con sus expectativas. También es muy importante responder sólo aquello por lo cual preguntan y no intentar adelantar sus conocimientos y sus inquietudes. Cuando un pequeño o una pequeña hace una pregunta acerca de la sexualidad, no sólo está buscando una respuesta sino que también (y fundamentalmente) está buscando comprensión y aceptación por parte de los adultos; por esta razón no es cualquiera la persona a quien se dirige para averiguar sobre la sexualidad y el origen de la vida. Los niños buscan saciar su curiosidad con sus padres o con adultos a quienes aman y respetan y por esto es muy importante no rechazar las preguntas ni descalificarlas, mucho menos aun reprenderlos ya que el hecho de que un niño se interese por la sexualidad es absolutamente normal, natural y sano.

¿QUÉ ES LA PROLACTINA Y QUÉ RELACIÓN GUARDA CON LAS DISFUNCIONES SEXUALES MASCULINAS?

La prolactina es una hormona que está presente tanto en el hombre como en la mujer (en la mujer actúa en la lactancia estimulando la secreción de leche). En el hombre el nivel de prolactina es menor que en la mujer y cuando se produce un aumento considerable de ésta (alta concentración de prolactina en la sangre), puede causar el efecto de disminuir la testosterona y provocar disfunciones eréctiles. Algunos medicamentos (como los antidepresivos y los tranquilizantes) pueden aumentar el nivel de prolactina.

¿POR QUÉ NO DEBE HABER PENETRACIÓN VAGINAL INMEDIATAMENTE DESPUÉS DE LA PENETRACIÓN ANAL?

Si luego de haber habido penetración anal se efectúa la penetración vaginal hay un serio peligro de contraer infecciones si no se toman las medidas de precaución adecuadas. En el recto habitan una serie de bacterias que no causan problemas a ese medio, ya que los tejidos cuentan con la capacidad de defenderse de ellas. En la vagina también hay otras bacterias, pero no son las mismas que las del recto. Por esta razón es imprescindible que se realice la higiene del pene antes de penetrar la vagina. Si en esa relación se ha utilizado profiláctico debe tirarse el que estuvo en contacto con el recto y colocar uno nuevo. Por molestas que resulten estas medidas son absolutamente indispensables para evitar las infecciones vaginales.

¿ES CIERTO QUE HAY UNA ETAPA EN QUE LOS NIÑOS CREEN QUE LAS MUJERES TAMBIÉN TIENEN PENE?

Esta afirmación es cierta y atañe tanto a los varones como a las nenas. Existe una etapa (que puede ubicarse entre los 3 y 5 años) en la que los niños creen que el pene es un órgano universal, es decir que todos los seres animados lo tienen. Esto se debe a que el niño confiere un valor exacerbado a este órgano y no puede entender que existan seres que no lo posean.

¿QUÉ ES UNA FELLATIO?

La fellatio es una de las formas del sexo oral. Es la introducción del pene en la boca de la mujer, que por medio de movimientos succionatorios actúa como un elemento masturbatorio. La fellatio es una de las formas sexuales que más excitan a los hombres y que más disfrutan. Cuando se realiza con una pareja con la que se tienen precauciones para evitar el contagio del SIDA se debe practicar con preservativos, aun cuando no se trague el esperma.

¿QUÉ ES UNA ENFERMEDAD VENÉREA?

Las enfermedades venéreas son enfermedades infecciosas que se contagian a través del contacto sexual. La denominación *enfermedad venérea* está actualmente en desuso y se prefiere llamarlas *enfermedades de transmisión sexual*.

Este cambio en la denominación se debe fundamentalmente a la aparición del SIDA, que hizo que las personas tuvieran que extremar sus cuidados a la hora de tener relaciones sexuales, ya que el término *venéreas* se asociaba fundamentalmente con la sífilis y la blenorragia o gonorrea.

¿ES NORMAL QUE LOS NIÑOS SE TOQUEN SUS GENITALES?

A ciertas edades es normal que los niños se toquen sus genitales porque esto les produce placer. Se están explorando y desean conocer su cuerpo, pero al explorar hallaron zonas que proporcionan un placer muy grande cuando se manipulan. De la misma forma que se muestran interesados por todo lo referente a la sexualidad (qué tienen los varones y qué tienen las nenas, cómo vienen los bebés, etc.) muestran un interés muy especial hacia sus genitales. Este acto de tocarse no es otra cosa que la masturbación infantil, y es una de las etapas normales por las que el niño pasa a lo largo de su evolución y desarrollo. Así como existe un desarrollo intelectual, emocional y social, también hay un desarrollo sexual que no está divorciado de los restantes. Alrededor de los 5 ó 6 años esto desaparece y el niño parece no estar interesado en los aspectos de la sexualidad: los psicólogos especializados en el tema lo relacionan con la entrada en la escolaridad y lo llaman *etapa de latencia sexual*. La sexualidad volverá a cobrar vital importancia en la pubertad y en la adolescencia, y los púberes volverán a explorar su cuerpo para ir preparándose para la sexualidad compartida con su compañero sexual.

¿QUÉ ES UN EMBARAZO ECTÓPICO Y POR QUÉ SE PRODUCE?

Los embarazos ectópicos son los llamados "fuera de lugar". Se producen en la mayoría de los casos, porque el óvulo fecundado en la trompa de Falopio anida en ella, en lugar de dirigire al útero. Allí crece hasta agotar las posibilidades de nutrición de la trompa y termina siendo expulsado, produciéndose un aborto espontáneo.

Si el aborto no se produce el caso necesitará la acción del ginecólogo, que tomará las medidas pertinentes para preservar la salud de la madre.

¿A QUÉ SE DEBE QUE LA FROTACIÓN DEL CLÍTORIS SEA LA ÚNICA FORMA DE PLACER PARA ALGUNAS MUJERES? ¿ES ESTO NORMAL?

Que una mujer sólo halle placer con la frotación del clítoris y que rechace o simplemente no disfrute otros contactos (como la penetración) puede deberse a un sinfín de causas que pueden ser tanto psicológicas como físicas, o a veces a la falta de información o de experimentación en la pareja. El temor al embarazo (que puede no ser consciente) puede ser otra causa. El sentir que no es amada por su pareja puede ser otra, pues no hay que olvidar que para una mujer el ser penetrada es una manera de entregarse al hombre y sentir que no es amada puede ser motivo para negarse a abrirse y gozar. Muchas mujeres sienten mucho dolor durante el coito y esto les impide gozar. En todos los casos se trata de consultar cuando se desea solucionar esto. En cuanto a si es normal o no, no puede decirse que no es normal querer gozar mediante la frotación del clítoris pero también es verdad que algo pasa si nunca se quiere tener otra práctica sexual. Este es un problema que atañe a una pareja y deben consultar ambos al profesional adecuado, pero es ella quien debe tomar la decisión. Si una mujer sólo desea tener este tipo de práctica sexual y siente que es lo único que desea hacer y que esto la satisface, muy difícil será que sienta esto como un problema y desee cambiar esta situación.

Muchas mujeres llevan adelante toda su vida sexual sin experimentar un orgasmo que no sea por otra estimulación que la del clítoris y otras lo hacen aun sin alcanzar el orgasmo en ninguna forma. Esto no indica bajo ningún punto de vista una anormalidad ni una limitación, simplemente es una forma de vivir la sexualidad.

¿QUÉ SON LOS LUBRICANTES VAGINALES Y EN QUÉ CASOS DEBEN USARSE?

Los lubricantes vaginales son pomadas diseñadas especialmente para dar humedad a la vagina en los casos en los que por alguna razón no hay una lubricación natural suficiente para permitir la penetración o para que la mujer no sienta dolor. También se suelen utilizar para lubricar los preservativos y evitar la sensación de molestia que puede producir el látex. En ningún caso aumentan la sensibilidad ni aumentan la excitación (no son afrodisíacos como suele creerse), simplemente ayudan en los casos en los qué la lubricación que debe producirse naturalmente no se produce por alguna razón que puede ser física o psicológica. Cuando se recurre a un lubricante vaginal es aconsejable utilizar los que se fabrican especialmente para este fin y no utilizar cremas de belleza que pueden causar en ciertos casos alguna reacción como picazón o ardor.

Las cajas de profilácticos generalmente traen lubricantes vaginales que han sido probados farmacológicamente y pueden ser usados sin riesgos de reacciones alérgicas. De todas formas, algunas mujeres son sumamente sensibles y su cuerpo reacciona negativamente con este tipo de productos.

¿QUÉ PUEDE HACERSE PARA EVITAR QUE EL PROFILÁCTICO QUITE PLACER A LA RELACIÓN?

Muchas personas (hombres y mujeres) sienten que el uso del profiláctico resta sensibilidad al contacto y por lo tanto impide que el placer sea pleno.

Actualmente hay una variedad de profilácticos que permiten que pueda elegirse (siempre dentro de los que están registrados como aptos después de haber pasado el control de calidad de los organismos de salud correspondientes) aquel o aquellos que resulten más agradables a la pareja. La buena lubricación vaginal de la mujer es fundamental cuando se usa profiláctico.

CUANDO SE REALIZA EL COITO EN EL AGUA ¿HAY PROBABILIDADES DE QUE SE SALGA EL PROFILÁCTICO?

Cuando se lleva a cabo una relación sexual en el agua (en una bañera o en una piscina) puede haber mayor posibilidad de que se salga el profiláctico si éste no está bien colocado. Si está bien colocado no hay peligro y puede realizarse perfectamente la práctica sexual en el agua usando preservativo.

¿HAY UNA FRECUENCIA IDEAL PARA TENER RELACIONES SEXUALES?

La frecuencia ideal para tener relaciones es la que permite que en una pareja ambos integrantes se sientan satisfechos y felices en su vida sexual. Puede suceder que ambos tengan diferentes necesidades de frecuencia y aparezcan conflictos que deben solucionarse por la vía más adecuada (en algunos casos será necesario consultar con un especialista), pero es necesario decir que todo lo que atañe a una pareja debe empezar a solucionarse mediante el diálogo sincero, respetuoso y afectivo. Muchas veces las cosas alcanzan una solución a través del diálogo y el mutuo entendimiento. Si una persona no está en pareja en forma momentánea o por decisión de vida, tampoco puede decirse que exista una frecuencia necesaria para tener relaciones sexuales. Muchas personas prefieren no tener sexo si no es con la persona con la que piensan que pueden establecer una pareja, otras (hombres y mujeres) tienen relaciones sexuales con personas por las que se sienten atraídas pero con las que no proyectan un futuro. Así como es maravilloso y muy satisfactorio disfrutar de la sexualidad, también es necesario respetar las etapas en las que se siente que no se desea tener relaciones sexuales. El mito de que la abstinencia sexual hace a las personas nerviosas y malhumoradas es justamente eso: un mito. Cuando una persona siente la necesidad de vivir su sexualidad se abre generalmente el mundo y halla a la persona con quien aparece el deseo de gozar de la sexualidad.

¿QUÉ ES LA PRÓSTATA Y DÓNDE ESTÁ UBICADA?

La próstata es una glándula del tamaño de una nuez pequeña y que sólo está presente en el aparato genital del hombre. Está localizada en la base de la uretra y tiene la función de segregar un líquido (blancuzco y espeso) que en la eyaculación se une al esperma que proviene de los testículos. Esta glándula, que es la más importante de las glándulas masculinas, puede crecer de tamaño y ocasionar problemas en la función de la micción (orinar). En algunos casos los problemas que ocasiona el crecimiento de este órgano pueden necesitar de una cirugía, que no determina ningún tipo de disfunción sexual, como suele creerse. El profesional que debe evaluar, diagnosticar y prescribir el tratamiento adecuado cuando se presenta un problema prostático es el urólogo.

¿A QUÉ SE LLAMA PERÍODO REFRACTARIO?

El período refractario es el período que sobreviene después de la eyaculación en el varón, hasta que vuelve a tener deseos de experimentar nuevamente un coito. Este período refractario es distinto para cada persona y varía según una infinidad de circunstancias. De todos modos puede afirmarse que la duración de este período aumenta con el correr de los años.

El período refractario suele aludir al período comprendido entre una erección y otra dentro del mismo encuentro sexual, por lo tanto todos saben que en el caso de hombres más jóvenes suele haber varias erecciones en un encuentro sexual (esto forma parte del folclore de la sexualidad tanto en las conversaciones íntimas de hombres como de mujeres). La edad es sólo uno de los factores para hablar de las diferencias de duración de este período: interviene también la situación afectiva y las preferencias de cada pareja (hay parejas que acostumbran a tener un primer orgasmo más rápido, entre otros factores para que el hombre eyacule una vez y se preparan para que en el segundo ambos puedan combinar los tiempos y poder lograr lo que se conoce como "llegar juntos"). Como siempre, los más indicados para medir estos tiempos y evaluar los mejores modos de satisfacción son los propios integrantes de la pareja.

¿EXISTE EL PERÍODO REFRACTARIO EN LA MUJER?

En la mujer no suele hablarse de período refractario. Si bien necesita su tiempo para volver a desear una nueva relación sexual después de un orgasmo, este tiempo tiene más que ver con circunstancias afectivas que fisiológicas. No debe confundirse esta afirmación con que en el hombre no existen los factores emocionales en los encuentros amorosos: lo que sucede es que la mujer siempre está más pendiente de todas las circunstancias que rodean a los encuentros sexuales que el hombre. Se suele decir que para la mujer es tan importante el durante como el antes y el después del momento mismo del coito o penetración.

¿ES NORMAL QUE A MI PAREJA LE DEN GANAS DE DORMIR DESPUÉS DE HABER HECHO EL AMOR? A MÍ ESTO ME HACE SENTIR QUE DESPUÉS DE SACIAR SUS DESEOS YA NO DESEA ESTAR CONMIGO.

Desde un punto de vista fisiológico es normal que aparezca el deseo de dormir después del orgasmo. La liberación de tensión acumulada durante la etapa previa que produce el orgasmo puede hacer que aparezca la sensación de sueño y el deseo de dormir como forma de culminar esa etapa de placer o como forma de recomposición por el enorme gasto de energía que esto produce. Lo que también puede suceder es que a uno de los integrantes de la pareja no le suceda lo mismo y de esta manera aparezcan conflictos. Un ejemplo puede ser: después de hacer el amor él quiere dormir y ella desea hablar. Es muy difícil dar recetas para solucionar problemas que atañen a la pareja, a la sexualidad y al entendimiento entre el hombre y la mujer, pero es importante que la mujer no sienta que él no quiere estar con ella sino que quiere dormir porque es lo que necesita luego de haber disfrutado de un maravilloso momento en el que ella fue su compañera y compinche.

Por otro lado es fundamental que él pueda escuchar la necesidad de ella de hablar. Lo importante es que se halle un espacio para las necesidades de cada uno.

Tal vez luego de hacer el amor no es el momento ideal para hablar con él, pero también alguna vez él pueda tratar de escuchar a su compañera, no sólo por complacerla sino también porque puede sorprenderse descubriendo que puede ser maravillosa una charla en un momento tan íntimo y especial y en el cual ambos se encuentran tan felices de estar el uno con el otro.

¿ES UN MÉTODO ANTICONCEPTIVO EFICAZ EL PRESERVATIVO?

El preservativo es el método por excelencia para la prevención del SIDA en las relaciones sexuales, pero su eficacia como anticonceptivo es bastante discutida. Justamente por su facilidad para rasgarse y porque se registraron varios casos de embarazos es que hace alrededor de 50 años se comenzó a buscar métodos más certeros y precisos: de esta forma fue que surgió la píldora anticonceptiva. De todas maneras, los profilácticos que se fabrican hoy en día no son los mismos que los que se fabricaban entonces y esto hace que hoy por hoy no sea tan fácil que un preservativo se rasgue si se usa correctamente. Cuando el profiláctico se utiliza como método anticonceptivo es recomendable que se incorpore el uso de la pomada espermaticida.

Los espermaticidas también se fabrican en forma de gel u óvulos y son aconsejables para ayudar a todos los restantes métodos mecánicos o de barrera (diafragma, capuchón cervical, etc).

¿A QUÉ SE LLAMA EJERCICIOS MASTURBATORIOS?

Los ejercicios masturbatorios son prácticas que muchas veces los sexólogos recomiendan para conseguir que el hombre pueda lograr retrasar su eyaculación por más tiempo. Consisten básicamente en que se estimule el pene en forma manual (él mismo o bien su pareja) y cuando llegue el momento de la eyaculación se contenga ésta y se suspenda la estimulación durante un instante para comenzar nuevamente y repetir esta práctica varias veces hasta que se llegue al tiempo deseado de eyacular. Lo importante en este caso es que no sólo sea visto como un mero ejercicio para que se pueda realizar con placer, es decir, que se convierta en juego placentero ya sea practicado en soledad o en pareja. Si este tipo de práctica se toma como una obligación o simplemente se rechaza por alguna razón, seguramente no tendrá el efecto buscado y puede llegar a ser un elemento de presión, en otras palabras, como dice el famoso dicho: puede que el remedio en este caso sea peor que la enfermedad.

MI PAREJA ME RECRIMINA QUE NUNCA TOMO LA INICIATIVA PARA QUE TENGAMOS RELACIONES SEXUALES. ME GUSTARÍA PODER HACERLO PERO NO ME ANIMO PORQUE PIENSO QUE SI LLEGARA A RECHAZARME ME DOLERÍA MUCHÍSIMO Y NO SE LO PERDONARÍA.

El temor al rechazo es uno de los aspectos más paralizantes en las personas, y no sólo en el aspecto sexual. Es tan lícito el reclamo de una persona (en este caso un hombre) de ser invitado a un encuentro sexual y el derecho a quejarse por tener sobre sus espaldas toda la responsabilidad de la actividad sexual de la pareja, como lo es también respetar los tiempos y las preferencias de cada persona. Hay personas que son particularmente más activas y otras que, por el contrario, son más pasivas. Está muy bien que todo se converse y que se comunique a la pareja los deseos, las necesidades y lo que se espera del otro para sentirse feliz y satisfecho, pero las recriminaciones no son la mejor vía, tanto en el plano sexual como en cualquier otro. Las exigencias cualesquiera fueran son enemigas del amor, de la pasión y del crecimiento en pareja.

Ninguna persona debería sentirse culpable por preferir que sus encuentros sexuales sean de una manera, lo que sí puede ser para pensar es si existen los deseos de hacer algo y por vergüenza o pudor esto no se hace. En este caso ya no sería una exigencia del compañero, sino un deseo propio que no se puede llevar adelante por condicionamientos, que generalmente se deben nada más que a la idea que nos han inculcado de que el sexo es algo malo o vergonzoso, o que la mujer sólo está para satisfacer al hombre y que ella no tiene necesidades sexuales propias y genuinas.

¿ADOPTAR DISTINTAS POSTURAS DURANTE EL COITO PUEDE HACER QUE DURE MÁS TIEMPO LA RELACIÓN SEXUAL?

El hecho de adoptar distintas posturas durante la relación sexual en muchos casos permite que ésta sea más duradera, y por esta razón estas prácticas suelen aconsejarse en casos en los que la mujer necesita más tiempo para alcanzar el clímax. Los motivos que pueden encontrarse para que esto ocurra son varios, entre ellos que el cambio de posición agrega sabor y sigue brindando al hombre motivos para seguir experimentando y puede así retrasar su eyaculación. Es muy común que sean los mismos varones los que frente a la inminencia de la eyaculación sean los que propongan cambiar la posición y busquen aquella que les permita seguir esperando a su pareja hasta que pueda alcanzar su orgasmo.

Algunas posturas hacen que el hombre pueda retardar su eyaculación más que otras y muchas veces el salir de la cama para buscar otros lugares de la habitación también funciona en este sentido. No es en vano, cuando se habla del placer y del sexo, apelar a la frase que dice: en la variedad se encuentra el placer.

¿CONTIENE ESPERMATOZOIDES EL LÍQUIDO (FLUIDO) QUE SALE ANTES DE LA EYACULACIÓN?

El líquido que sale previamente a la eyaculación tiene espermatozoides activos, por lo tanto si en una relación este líquido entra a la vagina hay probabilidades de embarazo aun cuando no se haya producido la eyaculación. Ésta es la razón fundamental por la que el coitus interruptus no es un método muy confiable para prevenir el embarazo.

¿QUE UN HOMBRE EYACULE ANTES DE QUE LA MUJER PUEDA ALCANZAR EL ORGASMO QUIERE DECIR QUE EL HOMBRE EYACULÓ DEMASIADO RÁPIDO?

El hecho de que el hombre no pueda esperar a que la mujer llegue al clímax no quiere decir que la eyaculación haya sido rápida. Se sabe fehacientemente que la eyaculación precoz es una disfunción sexual masculina que es bastante frecuente y que necesita de la consulta al especialista, pero muchas veces el tiempo de eyaculación es normal y la mujer no llegó a tener su orgasmo. En estos casos se trata de ajustar los tiempos dentro de la pareja y no de responsabilizar al varón como único responsable del disfrute de ambos.

¿ES NORMAL QUE PERSONAS QUE MANTIENEN RELACIONES SEXUALES SATISFACTORIAS DESEEN MASTURBARSE?

Es absolutamente normal que las personas se masturben aun teniendo una vida sexual plena y satisfactoria. Muchas parejas lo hacen juntos como parte del juego erótico y otras como práctica solitaria, sin contárselo el uno al otro muchas veces porque lo consideran parte de su intimidad y no desean compartirlo. El mito de que la masturbación se relaciona con la ausencia de relaciones sexuales viene de la pronunciada actividad masturbatoria que se realiza en la adolescencia, época de la vida en la que normalmente no se tiene una pareja o no se tiene sexo con ella. Pero para muchas personas sigue siendo una forma de obtener placer y por eso continúan con la práctica.

¿EXISTE ALGUNA MANERA DE ELEGIR EL SEXO DEL BEBÉ DURANTE LA RELACIÓN SEXUAL?

No hay manera alguna de que se pueda determinar el sexo del bebé durante el coito. Existen algunas creencias tales como que adoptando cierta posición vendrá un varón y que adoptando tal otra vendrá una nena. También se cree que determinados alimentos favorecen a concebir varones y otros nenas, pero no son más que creencias que tienen origen en distintas fuentes pero que no dan ningún resultado real y concreto.

Hay distintos estudios que dicen que se asociaba la concepción de un varón con alimentos que se identifican con el pene, como banana, pepino, zanahoria y con la concepción de una nena aquellos que se identifican con la forma de la vagina como las ostras o las almejas. En cuanto a las posturas no se conoce razón que pueda justificarlas pero sí se sabe que existen creencias relacionadas con ellas. Pero como ya dijimos, no hay ningún elemento para poder determinar el sexo del bebé de antemano en un coito (hacemos esta salvedad para no incluir los métodos de fertilización asistida en los que hay otros factores mucho más complejos).

HACE POCO LEÍ EL TÍTULO DE UN ARTÍCULO QUE DECÍA: LA MASTURBACIÓN MAMARIA. ¿QUÉ ES LA MASTURBACIÓN MAMARIA? ME DA VERGÜENZA CONFESARLO PERO NO SÉ A QUÉ SE REFIERE.

La masturbación mamaria no es ni más ni menos que la forma de referirse a la búsqueda de placer sexual sobre la zona de los senos, ya sea que la mujer se lo haga a sí misma o que su compañero se lo haga. Algunas mujeres sienten mucho placer y alcanzan el orgasmo con sólo tocarse rítmica y pausadamente los pezones, o con el contacto de la lengua de su compañero sobre ellos durante un tiempo. Es importante que la mujer que desee experimentar este tipo de sensaciones aliente a su compañero a que dedique el tiempo necesario a estimular sus senos con la punta de la lengua sobre sus pezones, con movimientos rítmicos y continuados.

¿ES POSIBLE COMPROBAR SI UN HOMBRE ES VIRGEN O NO?

No hay forma física evidente que dé cuenta de la virginidad de un hombre. Esta diferencia anatómica entre los sexos ha sido a lo largo de la historia uno de los argumentos utilizados para avalar que los hombres y las mujeres no tienen igual libertad, sensibilidad y responsabilidad sexual. Se llegó a decir que la mujer, al tener su primera relación sexual, pierde algo muy importante (su himen, representante físico y garantía de su virginidad) mientras que el hombre no sufre ningún cambio en su cuerpo. Este desconocimiento de la sexualidad humana no sólo hizo estragos en la vida sexual de las mujeres sino también en la de los hombres. El debut sexual de los hombres puede ser apurado a veces por otros varones o simplemente no entendido en su verdadera magnitud afectiva y emotiva. En ocasiones las presiones que recaen sobre el varón hacen que a cierta altura de la adolescencia, se espere que deje de ser virgen y demuestre que es todo un hombrecito (como puede llegar a decirse). Es importante decir que la represión sexual que en muchos casos recae sobre las mujeres y la presión que recae sobre los hombres es cultural y en ella participan tanto hombres como mujeres.

¿QUÉ DEBE HACERSE
CUANDO EL PROFILÁCTICO
QUEDA ADENTRO
DE LA VAGINA?

No son pocas las veces que sucede que el profiláctico quede dentro de la vagina. Una de las razones para que esto ocurra es que se retarda el momento de retirar el pene después de la eyaculación: éste deja de estar erecto y por ende se achica y permite que el condón se deslice. Obviamente, si esto ocurre pierden toda su efectividad todas las medidas preventivas tanto con respecto al SIDA como a la anticoncepción. Ahora bien, para retirar el profiláctico simplemente hay que introducir los dedos y retirarlo, nada más. Nunca puede llegar a pasar que se introduzca tan profundo que sea necesario recurrir a un médico para que lo retire. Una vez extraído el preservativo es aconsejable que la mujer se higienice.

La mejor medida para evitar que esto ocurra es tener la precaución de retirar el pene casi inmediatamente después de la eyaculación y continuar con las caricias y estimulaciones que se deseen, pero con el pene ya fuera de la vagina de la mujer.

¿POR QUÉ ALGUNAS MUJERES NO SANGRAN CUANDO SON DESFLORADAS (DESVIRGADAS)?

Algunas mujeres sangran al ser desfloradas y otras no, simplemente porque así está formada corporalmente cada una. Esto ha sido motivo de largas dudas y cuestionamientos a lo largo de la historia y aún hoy, cuando ya se sabe que la sexualidad no es una práctica pecaminosa y que es maravilloso tener una vida sexual plena tanto para los hombres como para las mujeres, se asocia la virginidad con la pureza y al sangrado con la garantía de que ese hombre ha sido el primero en penetrar a esa mujer.

¿EXISTE ALGUNA POSICIÓN ACONSEJADA PARA LOGRAR QUE SE RETRASE LA EYACULACIÓN DEL VARÓN?

Para muchos hombres resulta muy difícil contener la eyaculación estando sobre la mujer y bombeando (como suele llamarse al movimiento que realiza el hombre sobre la mujer en el acto sexual con penetración). La posición de la mujer arriba y el hombre sentado o con varias almohadas a la altura de la cintura suele hacer que la eyaculación pueda controlarse mejor.

¿A QUÉ ZONA DE LA MUJER SE LE DA EL NOMBRE DE MONTE DE VENUS?

Se le da el nombre de monte de Venus a la zona de la mujer en la que hay mayor cantidad de vello pubiano. Justamente recibe este nombre (Venus) porque esta era la diosa que representaba a la mujer en el amor y la sexualidad. La forma de disposición del vello pubiano es uno de los caracteres sexuales secundarios: en la mujer el vello pubiano tiene forma triangular y en el hombre forma rectangular. Esta diferencia se debe a la conformación hormonal distinta en uno y otro sexo.

El monte de Venus tiene la función particular, e importante por demás, de proteger los genitales externos de la mujer. Por esta razón, algunos ginecólogos desaconsejan la depilación total de los genitales femeninos.

¿QUÉ ES UNA BARTOLINITIS?

Es la inflamación de la glándula de Bartolino, glándula que sólo tienen las mujeres y que está ubicada en la entrada de la vagina. Muchas veces, cuando se inflama con frecuencia se extirpa y esto no trae ninguna consecuencia importante: a veces simplemente reduce un poco la lubricación ya que es una de las glándulas responsables de la lubricación vaginal.

¿ES EL EXCESO DE MASTURBACIÓN UNA POSIBLE CAUSA DE IMPOTENCIA EN EL HOMBRE Y DE FRIGIDEZ EN LA MUJER?

Esta pregunta habilita un no categórico, pues la masturbación es una práctica sexual absolutamente normal tanto para los hombres como para las mujeres ya sea que se practique en soledad o en compañía. Además no se restringe solamente a la adolescencia sino que se sigue practicando en la edad adulta y es una fuente de placer para todos aquellos que disfrutan al hacerlo.

¿QUÉ ES LA IMPOTENCIA?

La impotencia es la imposibilidad del hombre de lograr la erección del pene a pesar de tener excitación sexual. También puede suceder que la erección no sea suficiente para que pueda lograr penetrar la vagina. Esto puede deberse a numerosas causas y puede ser un estado pasajero debido a alguna situación que pudiera estar atravesando esa persona. Actualmente se está dejando de utilizar el término *impotencia* y se lo sustituye por *disfunción eréctil,* no sólo por la terrible connotación social que implica este término sino también porque se lo considera más específico debido a que el término *impotencia* alude a toda situación en la que se tiene la sensación de no poder. (Por ejemplo: me sentí muy impotente por no poder decirle lo que se merecía.)

¿CUÁL ES LA UBICACIÓN EXACTA DEL CLÍTORIS?

El clítoris forma parte de los genitales externos, junto con la vulva (formada por los labios menores y los labios mayores). En la unión de los labios menores se halla el clítoris y por detrás de él se encuentra el orificio uretral y el orificio vaginal. En la mujer estos orificios son dos, a diferencia de lo que sucede con el hombre, que tiene un solo orificio (orificio urogenital). El clítoris es el centro más importante de placer para la mujer, debido a la alta inervación sensitiva que hay en él. Se dice que es como un pene en miniatura y esto tiene su razón de ser en su capacidad de erección: el clítoris se pone erecto cuando hay excitación sexual y se retrae luego del orgasmo o cuando desaparece la excitación; y también porque su constitución anatómica es similar al órgano masculino: tiene un cuerpo y una terminación llamada glande.

 ## ¿QUÉ ES EL FRENILLO?

El frenillo es una de las zonas del pene y se encuentra en la cara posterior del mismo. Su estimulación también es una fuente de placer sexual fundamentalmente cuando se lo recorre con la lengua al practicar el sexo oral.

La estimulación del frenillo también juega un papel importante en la masturbación manual. Al frenillo se debe una gran parte de la capacidad de mantener el pene erguido.

¿QUÉ ES LA OVULACIÓN?

Es el momento del ciclo menstrual de la mujer en el cual se produce la liberación del óvulo. En esta fase el óvulo está apto para ser fecundado y viaja desde el ovario hasta la trompa de Falopio. Este es el momento justo en el que la mujer puede quedar embarazada.

El tiempo que tiene el óvulo para ser fecundado por el espermatozoide, una vez que ya está en la trompa, es de 12 a 24 horas normalmente, aunque hay mujeres que tienen ovulaciones más largas (de hasta 72 horas). El óvulo que no es fecundado se desprende y da lugar al sangrado menstrual.

La variación del tiempo de fertilidad del óvulo, junto con la facilidad de cualquier mujer de variar la regularidad en su ciclo, son factores decisivos para hacer que el método de contar los días (método natural de anticoncepción conocido como Ogino) sea de una efectividad muy escasa y poco aconsejable cuando no se desea el embarazo.

MI PAREJA ME HA PEDIDO VARIAS VECES QUE LE INTRODUZCA UN DEDO EN EL ANO MIENTRAS LE HAGO SEXO ORAL. ¿ES NORMAL QUE UN HOMBRE DESEE ESTO?

El ano es una zona cuya estimulación puede brindar placer tanto a los hombres como a las mujeres.

Muchos hombres disfrutan intensamente cuando se estimula esta zona con la lengua o cuando se les masajea la próstata introduciéndoles un dedo en el ano y esto no debe ser considerado anormal ni bajo ningún punto de vista debe asociarse con la homosexualidad.

Generalmente este tipo de experiencias se llevan a cabo entre parejas con cierto conocimiento y confianza.

Muchas mujeres, conscientes del placer que puede producir esto en los hombres y sabiendo que es muy probable que no se atrevan a pedirlo, lo sugieren suavemente o lo realizan con mucha ternura y cuidado por su cuenta y esperan la respuesta de su compañero. Todo lo que hace que las dos personas que participan de una relación sexual disfruten debe considerarse normal.

En el sexo debe haber placer y respeto por el compañero: no reglas ni condicionamientos.

¿QUÉ ES LA FRIGIDEZ?

La frigidez es la falta de placer de la mujer en sus encuentros sexuales. El hecho de que no exista placer ni satisfacción durante los encuentros sexuales puede deberse a múltiples causas que en el mayor de los casos son de tipo emotivo o psicológico, aunque hay algunas causas físicas que pueden ser un motivo para que la mujer no pueda disfrutar (causas hormonales, prolapso, etc).

¿POR QUÉ PUEDE SER QUE DUELA EL CLÍTORIS DURANTE LA ESTIMULACIÓN?

El clítoris es un órgano que puede brindar gran placer a la mujer debido a que es altamente sensible. Pero por esta misma razón puede ser dolorosa su manipulación cuando no se hace debidamente. Es necesario conocer el ritmo y la intensidad que le gusta a cada mujer, y no esperar que con sólo frotarlo se produzca el milagro. Es muy importante saber que frente al dolor el clítoris se contrae, y esta una defensa que da el cuerpo de la mujer frente al dolor o a lo que le resulta desagradable o frente a lo que no desea. Las mujeres generalmente conocen bastante del placer que les brinda la estimulación del clítoris por lo que han experimentado con la masturbación; es muy bueno que puedan aprovechar este conocimiento de su propio cuerpo para ponerlo en juego en sus encuentros sexuales con su compañero.

¿QUÉ ES LA VASECTOMÍA?

La vasectomia es un método quirúrgico que se utiliza para esterilizar a un hombre, es decir, para que sus eyaculaciones no contengan espermatozoides y de esta manera evitar embarazos. En este tipo de intervenciones lo que se hace es cortar el conducto deferente (que es el que transporta los espermatozoides de los testículos hacia las vesículas seminales). Al estar cortado el conducto deferente los espermatozoides no llegan al exterior y al eyacular el líquido seminal está carente de ellos, por lo tanto: al no haber presencia de espermatozoides en el semen no hay posibilidad de que el óvulo sea fecundado. Este método para la anticoncepción es de efectividad absoluta (100% de efectividad) pero es irreversible, es decir que una vez que se realiza no hay forma de que el conducto pueda funcionar normalmente de nuevo. Por otro lado, hay países en los que la ley prohíbe este tipo de método.

¿QUÉ SON LOS ESTRÓGENOS?

Los estrógenos son hormonas femeninas que actúan en el desarrollo sexual. Son las encargadas del desarrollo y la madurez del aparato genital de la mujer. Estas hormonas son las responsables de todos los caracteres sexuales secundarios. Mes a mes preparan el útero para que allí anide el óvulo fecundado, es decir que preparan al útero por si se llegara a producir la fecundación. En el hombre también hay estrógenos pero en una proporción menor que en la mujer.

¿ES CIERTO QUE HAY DISTINTAS ETAPAS EN LA EXCITACIÓN SEXUAL?

Tanto en el hombre como en la mujer hay distintas etapas en la excitación sexual, pero tienen tiempos, duraciones y necesidades distintas para cada sexo. Estas etapas son tres y van desde la aparición de la tensión sexual hasta la descarga de tensión: excitación, meseta de excitación y orgasmo o fase final. Una característica muy importante a tener en cuenta es que para que la mujer vaya avanzando en estas etapas es necesario que tenga estimulación: si se deja de estimular a la mujer puede desaparecer la excitación, cosa que no sucede en el hombre. La mujer necesita de estimulación constante para llegar al orgasmo o para no "enfriarse", mientras que el hombre puede mantener su erección aun sin tener estimulación directa sobre el pene, el hombre puede "salir" de la vagina durante un tiempo y volver a "entrar" sin dificultades.

En la primera etapa, la de la excitación, los juegos previos desempeñan un papel fundamental: en este juego entran todos los estímulos sensitivos (olfativos, auditivos, visuales y táctiles) que llegan al cerebro. La conjunción de estos estímulos desencadenan la excitación sexual y el deseo de avanzar en la búsqueda de placer y satisfacción. Alcanzada la etapa de excitación se llega a la segunda etapa, denominada mesta, y en esta fase se acrecientan las sensaciones corporales y el cuerpo y la mente se preparan para el momento culminante de estos momentos de excitación sexual, que es lo que llamamos orgasmo. A lo largo de estas etapas se produce un aumento y acumulación de tensión que se descargan en el momento del orgasmo, con la consiguiente sensación de alivio y bienestar que le sucede a éste.

EN MUCHAS OCASIONES MI PAREJA EYACULA ANTES DE QUE YO PUEDA TERMINAR. CUANDO ESTO PASA ME FROTA EL CLÍTORIS PARA QUE YO PUEDA LLEGAR AL ORGASMO PERO SIENTO QUE LO HACE SÓLO POR MÍ, NO CREO QUE LE GUSTE DEMASIADO.

Los hombres, luego del orgasmo, sufren una caída brusca de la tensión y seguramente lo que menos desean es tener que ocuparse del orgasmo de su compañera. No en vano se insiste tanto en que la mujer llegue al orgasmo antes, justamente porque esta caída brusca de la tensión no se da en la mujer, que luego de tener un orgasmo puede seguir excitada y continuar el juego amoroso. Si esto que aquí se cuenta pasa algunas veces aisladas y el hombre, aun cuando no es exactamente lo que más desearía hacer, se ocupa del orgasmo de su compañera, bienvenido sea o, por qué no, alguna vez se puede probar alcanzar el orgasmo con la propia masturbación mientras él trata de relajarse. No estaría nada mal ver qué resulta de una experiencia como ésta.

¿A QUÉ SE LLAMA FASE DE RESOLUCIÓN?

Luego de ocurrido el orgasmo hay una fase de resolución que hace que los órganos vuelvan a su estado normal; en esta fase se retira la sangre que llegó a los órganos genitales debido a la alta excitación que se produjo en los mismos. La duración de esta fase puede ser de entre 5 y 30 minutos después del orgasmo.

¿QUÉ ES LA PROGESTERONA?

La progesterona es una hormona que se segrega en el momento de la ovulación. Su función, junto con los estrógenos, es la de preparar el útero para albergar al óvulo fecundado. Una de las propiedades de las píldoras anticonceptivas es la de inhibir la acción de la progesterona evitando así que el útero tenga las condiciones necesarias para que el óvulo fecundado pueda anidar.

¿SON LOS PEZONES UNA ZONA ERÓGENA TAMBIÉN PARA LOS HOMBRES?

Los pezones, que en el hombre se suelen denominar *tetillas*, están regados de terminaciones nerviosas y su estimulación puede ser una fuente de placer también para los hombres. No obstante, las zonas erógenas de cada persona están muy relacionadas con sus experiencias sensitivas vividas desde muy temprana edad y no sólo con lo anatómico y fisiológico.

¿QUÉ SON LOS CUERPOS CAVERNOSOS?

En el interior del pene hay dos formaciones llamadas cuerpos cavernosos que se agrandan y se llenan de sangre cuando se produce la excitación sexual. Esto da lugar al agrandamiento y la erección del pene.

¿SON PERJUDICIALES LAS PÍLDORAS ANTICONCEPTIVAS PARA LOS FUTUROS EMBARAZOS?

El consumo de píldoras anticonceptivas no trae ninguna consecuencia desfavorable para los futuros embarazos, por lo tanto no hay razón alguna para no adoptar este método anticonceptivo (por otro lado uno de los más eficaces) cuando se desea tener hijos más adelante. Sí es cierto que hay casos en los que no son recomendables; entre ellos: mujeres con dolores de cabeza frecuentes, mujeres de más de 40 años que son fumadoras, problemas circulatorios, cierto tipo de diabetes, etc. Actualmente han aparecido nuevas fórmulas farmacológicas que superan algunas de estas contraindicaciones, por lo tanto basta con recurrir al ginecólogo para que indique cuál es la fórmula más adecuada para cada caso particular.

¿CUÁLES SON LAS TRANSFORMACIONES QUE APARECEN EN EL CUERPO CUANDO UNA MUJER ESTÁ EXCITADA SEXUALMENTE?

La excitación sexual de la mujer se manifiesta a través de determinados signos corporales como: lubricación vaginal, ensanchamiento de las paredes de la vagina, engrosamiento de labios mayores, erección del clítoris (aumento de tamaño), cambio de color en la zona que rodea al pezón y, en algunos casos, erección de los pezones.

¿QUÉ ES LA TESTOSTERONA?

Es una hormona producida por los testículos y juega un papel fundamental en el deseo sexual del hombre. Es la hormona sexual masculina más importante y es la responsable de dar los caracteres sexuales secundarios masculinos: la barba, la forma y abundancia del vello pubiano, el timbre de voz, la musculatura, entre los más importantes.

A algunos de los derivados de esta hormona masculina se debe la calvicie masculina.

Como toda hormona, la testosterona está regulada por la hipófisis.

¿A QUÉ SE LLAMA ORGASMO MÚLTIPLE?

Algunas mujeres pueden tener lo que se denomina orgasmo múltiple. Se trata de una sucesión de orgasmos que sobrevienen como en cadena: un orgasmo es sentido casi inmediatamente después de otro.

¿QUÉ ES LA ANORGASMIA?

La anorgasmia es la imposibilidad de alcanzar el orgasmo. En la mujer se la suele confundir con frigidez, pero en este caso no hay rechazo al coito ni falta de placer en la relación sexual.

En el hombre la anorgasmia es la imposibilidad de eyacular.

Es fundamental tener en cuenta que se habla de anorgasmia cuando hay una ausencia de orgasmo casi permanente y no cuando se trata de hechos aislados o momentáneos y, por otro lado cuando esto sucede sin que sea producto de una determinación o una elección de la propia persona.

Es mucho más frecuente la anorgasmia en la mujer que en el hombre, y esto se debe a razones fundamentalmente culturales y de educación.

¿ES CIERTO QUE HAY MÁS PROBABILIDADES DE QUE UNA MUJER SE EMBARACE SI HA DISFRUTADO DE LA RELACIÓN SEXUAL QUE SI NO LO HA HECHO?

Esta afirmación pertenece a los tantos mitos que sobre la sexualidad circulan por ahí. No tiene ninguna base ni fundamento científico y hay una infinidad de casos en los que la mujer ha quedado embarazada y no ha disfrutado del encuentro sexual, como así también lo opuesto. Lo que sí es innegable es que los factores emocionales pueden a veces influir en la fertilidad.

¿ES CORRECTO AFIRMAR QUE EL HOMBRE NECESITA MENOS ESTIMULACIÓN QUE LA MUJER PARA EXCITARSE?

En términos generales es posible afirmar que sí, el hombre puede excitarse y lograr la erección de su pene con menor estimulación que la mujer. La mujer por lo general necesita de toda una etapa previa a la estimulación directa sobre sus genitales.

En esta etapa previa, fundamental en la mujer, es muy importante que se sienta mirada, tocada y contenida; lo verdaderamente importante para la mujer en un encuentro sexual es sentirse aceptada y valorada.

Cuando el hombre se dirige directamente a la estimulación de sus genitales, creyendo que esto es garantía de que la mujer se excitará con esto, suele suceder que la mujer se cierre afectivamente y no quiera tener relaciones.

¿LA SATISFACCIÓN DE UNA MUJER EN UN ENCUENTRO SEXUAL DEBE MEDIRSE DE ACUERDO CON LA CANTIDAD DE ORGASMOS QUE TIENE?

Que la satisfacción de una mujer se mide de acuerdo con la cantidad de orgasmos que tiene en un encuentro sexual no es nada más que un mito, que además de no tener en cuenta que cada persona tiene una forma particular de vivir su sexualidad, puede convertirse en una presión muy grande tanto para el hombre como para la mujer que no ayuda para nada, sino más bien limita y entorpece a la pareja.

¿CÓMO SE LLAMA Y EN QUÉ CONSISTE LA ESTERILIZACIÓN DE LA MUJER?

La esterilización de la mujer recibe el nombre de *ligadura de trompas* y consiste (ya sea por coagulación eléctrica o por ligamento por medio de un clip o anillo) en impedir que el óvulo se encuentre con el espermatozoide, pues al estar las trompas ocluidas el óvulo queda de un lado y el espermatozoide del otro. Este es un método irreversible (la mujer a quien se le practica nunca más podrá procrear) y que, además, no está permitido en todos los países.

¿PUEDE SER QUE LAS MENSTRUACIONES SEAN MÁS PROLONGADAS Y COPIOSAS CUANDO SE HA COLOCADO UN DIU (ESPIRAL O DISPOSITIVO INTRAUTERINO)?

Las menstruaciones más prolongadas y más abundantes son una de las consecuencias que puede traer aparejada la colocación de un DIU o espiral. De todas formas, este cambio no conlleva ningún trastorno ni efecto nocivo.

¿QUÉ ES UNA CANDIDIASIS?

Es una infección producida por un hongo que afecta las mucosas de los órganos genitales (también puede afectar las mucosas de la boca y la garganta). Es contagiosa y necesita de atención médica especializada para que se indique el tratamiento a seguir. Los individuos con las defensas bajas están más propensos a padecerla y si no se trata debidamente puede volverse crónica y muy rebelde a los tratamientos.

¿QUÉ ES EL ACMÉ?

La palabra acmé es sinónimo de orgasmo, como también lo es climax. Son tres maneras distintas de nombrar la misma cosa.

El término acmé es el menos utilizdo de los tres para denominar esta culminación de la excitación sexual. Es interesante pensar en los verbos que se usan para denominar el acmé u orgasmo: acabar, terminar, llegar; todos ellos aluden a la culminación de algo.

¿ES CIERTO QUE LOS NIÑOS EN UNA ETAPA DE SU DESARROLLO CREEN QUE LOS NIÑOS SON PARIDOS POR EL ANO?

Según especialistas, en cierta etapa de su infancia los niños elaboran lo que se conoce como *teorías sexuales infantiles*. Una de estas teorías es justamente esa: los niños son paridos por el ano. Esto tiene que ver con que hay una etapa en la que esta zona del cuerpo cobra vital importancia (coincide con el control de esfínteres) y relacionan (en forma inconsciente) sus heces con la forma de parir un niño.

¿ES CIERTO QUE EL PLACER DE LA MUJER ES MUY ESTIMULANTE Y EXCITANTE PARA EL HOMBRE?

Es muy importante para el hombre que su compañera demuestre que está excitada y que la está pasando muy bien. La satisfacción de la mujer, demostrada a través de su tono de voz, sus gemidos, sus pedidos, sus palabras de aceptación, etc., suelen actuar como el mejor de los afrodisíacos para un hombre.

Como esto es tan importante para ellos, tienden a creer que su erección es lo más importante para las mujeres. No son pocas las mujeres que se quejan de que, al preguntar a sus compañeros si las aman, estos responden mostrando la erección de su pene como la muestra máxima de su amor hacia esa mujer. De la misma forma, los hombres suelen quejarse de que las mujeres piden ternura cuando lo que está en juego es un momento de pasión y fososidad.

Estas pequeñas, y a veces no tan pequeñas quejas de un sexo hacia el otro han existido a lo largo de la historia de la humanidad y sólo requieren de diálogo y entendimiento mutuo.

Se dice que el mejor lugar para que una pareja arregle sus problemas es la cama, pero esto no es tan así: hay problemas que no son de orden sexual y se trasladan al hecho.

También sucede lo contrario: puede suceder que la falta de entendimiento en el plano sexual invada toda la vida de la pareja, acabando por desgastarla.

ONCLUSIÓN

Usted ya ha hallado la respuesta a la mayoría de las preguntas sobre sexo que todas las personas nos hacemos. No debe tomar estas respuestas, que en muchos casos encierran sugerencias, como recetas ni como fórmulas mágicas. Simplemente sienta que, como usted, muchas personas pueden tener interrogantes que necesitan de la escucha de personas especializadas en el tema. Por esta razón tome este libro como un trabajo cuidado y responsable de personas que trabajan en el tema y pueden ayudarlo.

Ya ha llegado al final de este libro y creemos fundamental que recuerde siempre:

> Que el sexo es una de las formas más importante por la que los seres humanos pueden disfrutar y sentir placer.

Que el sexo no siempre va acompañado del amor hacia la otra persona, pero que el respeto no debe por eso estar ausente. Si no hay respeto y consideración por el compañero sexual es casi imposible que se pueda disfrutar juntos.

Que en el sexo no hay fórmulas ni reglas: hay gustos y necesidades propias de cada persona que se ponen en juego en cada encuentro sexual.

Que es fundamental tomar las medidas de precaución necesarias, cuando comenzamos una relación, para ser responsables y cuidadosos de nuestra salud y de la del otro.

Que en el sexo nada debe ser una exigencia ni una imposición.

Que cada persona tiene una forma particular y única de vivir su sexualidad y por eso de nada sirven las comparaciones ni las competencias para ver quién es mejor.

Que la mejor forma de hallar el entendimiento en la pareja es el diálogo sincero y
comprometido.

Que es importante comunicar nuestros
gustos y preferencias sexuales: esperar que
el otro las adivine generalmente sólo nos
conduce a frustraciones y desencantos.

Índice

Este libro se terminó de imprimir en
GAMA Producción Gráfica
Zeballos 244
Avellaneda
Julio de 2000